Una carta de tu maestra
en el último día de clases

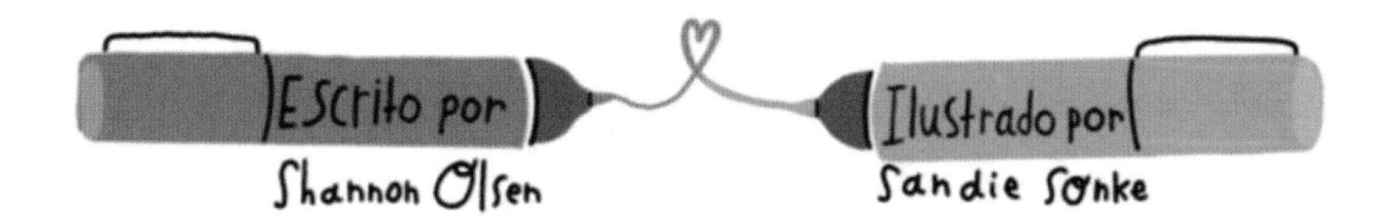

Shannon Olsen

Sandie Sonke

2022 Orange County, California.
ISBN: 978-1-7354141-8-8

Para todos los maestros y maestras que alguna vez han tenido que decirle adiós a una clase muy especial. - S.O.

Para mamá y papá. - S.S.

Querido estudiante:

¿Cómo estás? ¡Soy yo otra vez!
Como tu amiga y maestra de este grado,
no puedo creer que este año
escolar ya casi ha terminado.

¿Te acuerdas, hace mucho,
de la primera clase que tuviste conmigo?
Tal vez te sentías nervioso
por aprender las reglas y hacer algún amigo.

Pero después de un corto tiempo
todo el mundo entonces supo
que nuestra clase era especial:
¡no hay otro como nuestro grupo!

zoológico

Nos convertimos
en una gran familia

mientras aprendían o se equivocaban.

También nos reímos
mucho juntos

e hicimos ejercicios
que nos relajaban.

Aprendiste mucho de matemáticas:
sumaste y restaste con gran decisión.

Cuando te puse un problema,
pensaste hasta dar con la solución.

Hiciste preguntas sobre las lecturas.
También aprendiste sobre puntuación.
Ahora ya comienzas siempre con mayúscula
y terminas con punto cualquier oración.

Los lectores son ganadores
Bichos
Espacio

Tuvimos también
eventos divertidos

y muchos días de fiesta
que celebrar.

Te tomaste
la foto con
una gran sonrisa

¡y en los recreos todos
salían a jugar!

Los días no fueron siempre perfectos.
A veces el trabajo era complicado,

pero cuando hacías tu mejor esfuerzo
siempre podías lograr un buen resultado.

No solo estoy orgullosa de lo mucho que has trabajado.

Haz tomado buenas decisiones ¡y eso que apenas has comenzado!

Puede ser triste decir adiós.
El cambio es difícil para cualquiera.

Pero estás listo para el futuro

¡y para el gran verano que te espera!

Hoy es un gran día para aprender algo nuevo

Y cuando comiences en tu nuevo año
no me cabe duda de que triunfarás.
Tu nuevo maestro pronto se dará cuenta
del gran estudiante que sin duda serás.

Y en los años por venir
hazme este favor que hoy te pido:

visítame para contarme cómo te va
y poder ver lo mucho que has crecido.

¡Que les vaya

Siempre tendremos nuestros recuerdos y
aunque ya no nos veamos más aquí,
te has convertido en parte de mi vida y
nuestro grupo ahora también es parte de ti.

Con cariño:

Sr. Diaz

bien!

Estimado maestro:

Si leíste mi carta para ti al final del libro *Una carta de tu maestra en el primer día de escuela*, entonces... ¡hola, soy yo otra vez! Supongo que muchas cosas han pasado entre el primer día del año escolar y este momento.

El año pasa por muchas fases, ¿no es cierto? Está el regreso a clases, que se siente como un principio flamante. Todo parece brillante y nuevo, hasta los materiales escolares. A partir de ese momento, las cosas parecen avanzar con rapidez hasta convertirse en un verdadero torbellino de actividad. Te encuentras hasta el tope de trabajo planeando clases, calificando tareas y asistiendo a juntas de maestros con temas que pudieron haberse resuelto en un correo electrónico. Muy pronto, todo es calabazas y fantasmas y, luego, un alud de actividades para las fiestas de fin de año... y antes de que nos demos cuenta, los maestros comenzamos a sentir la llegada de la primavera, lo mismo que nuestros alumnos.

En esas semanas finales que nos llevan al último día de clases, la mayoría de los maestros nos sentimos realmente cansados, tal vez hasta agotados. Esa sensación de que todo es nuevo y brillante desapareció hac mucho. Has trabajado muy duro todo el año y tal vez estés contando los días para las vacaciones de verano.

Pero el final del año escolar es un momento alegre y triste a la vez. En medio de toda la ajetreada rutina cotidiana, terminaste por crear una pequeña familia con tus alumnos. Todos ustedes se sienten a gusto juntos. Has sido testigo de las dificultades de tus niños y niñas, así como de esos momentos que los llenaron de orgullo, y has podido verlos crecer y progresar durante varios meses.

Los conoces como solo puede hacerlo un maestro. Sabes todos los viejos "trucos" que pueden ayudarlos en su particular estilo de aprendizaje. Estás en sintonía con todas sus personalidades: sabes quién es parlanchín, quién es más tímido y quién no es ni lo uno ni lo otro. Sabes quién está pasando por un cambio importante en casa, como un nuevo hermanito o hermanita, o el divorcio de sus padres. Realmente te importan los estudiantes con los que has convivido una buena parte del año pasado.

Aquel primer día de escuela, tenías mucha información nueva para ellos. Y ahora, en el último día, no hay muchas cosas nuevas que decir, pero todavía te quedan algunos mensajes importantes para compartir con tu clase. El final del año escolar es una oportunidad para que tus niños reflexionen sobre sus recuerdos y todo lo que han avanzado este año. Estoy segura de que querrás que sepan que vas a extrañarlos mucho, pero también que deseas de todo corazón que les vaya muy bien en el futuro.

Cuando quieres transmitir tus buenos deseos a otro adulto, una forma de hacerlo es a través de una tarjeta de felicitación. No siempre podemos expresar por completo nuestros sentimientos (en particular cuando se trata de despedidas). Las tarjetas de este tipo nos ayudan a comunicar los sentimientos que queremos transmitir.

Cuando las personas a quienes quieres transmitir un mensaje especial son niños, creo que para un maestro, un libro ilustrado puede ser el equivalente de una tarjeta de felicitación. Una lectura en voz alta puede ayudar a transmitir esos sentimientos que podrían ser difíciles de expresar. Escribí este libro especialmente para tratar de darles una voz a esos sentimientos que tal vez quieras que tus alumnos conozcan antes de que se vayan para siempre de tu salón de clases. Espero que tú y tus estudiantes disfruten leyéndolo en clase, y que los ayude a reflexionar sobre el tiempo que han pasado juntos y a celebrarlo.

Cuando te despidas de este grupo de niños, ten por seguro que ellos también van a extrañarte (sin importar lo emocionados que estén por las vacaciones de verano). En el transcurso del año escolar te has convertido en alguien a quien ya conocen bien y con quien se sienten a gusto. Si alguna vez te sustituyó temporalmente otro maestro, es probable que los niños le hayan dicho en algún momento: “¡Así no es como lo hace nuestra maestra!”. Están acostumbrados a ti. Tus estudiantes ya saben cómo haces las cosas y cómo trabajas. Conocen detalles de tu personalidad, como esas pequeñas frases que repites con más frecuencia. Y tal vez hasta sepan si te gusta el café o no. Muchas de las cosas que les has enseñado, tanto en lo académico como en lo social, las seguirán usando mucho tiempo después de que se marchen de tu clase.

Una de las líneas que leerás en voz alta a los estudiantes en la última página de este libro dice: “te has convertido en parte de mi vida”. Como una de las personas más importantes en esta etapa de su existencia, ten por seguro que ahora tú también formas parte de sus vidas.

Con cariño,

Sobre la autora

Shannon Olsen es maestra de segundo grado en el sur de California y tiene una maestría en Educación de la Universidad de California, en Irvine. Le encanta viajar y pasar tiempo con su esposo, Jeff, y sus dos hijas, Madeline y Emma. Shannon escribe un blog sobre educación primaria en lifebetweensummers.com y le encanta crear materiales para que los maestros puedan utilizarlos en sus clases.

Sobre la ilustradora

Sandie Sonke también es originaria del sur de California y tiene una licenciatura en Artes Visuales de la Universidad Estatal de California, en Fullerton. Le encanta el café y le gusta mucho cocinar, y entre los diversos papeles que desempeña, su favorito es el de ser madre. Sandie ha publicado varios libros infantiles. Se puede encontrar más información sobre su trabajo como ilustradora en www.sandiesonkeillustration.com.

Made in United States
Orlando, FL
09 January 2024